KATZENKUNST

Clémence et Joséphine

KATZENKUNST

Ein Kompendium kultivierter Katzen in Kunst und Film

Susan Herbert

EDITION OLMS ZÜRICH

INHALT

SUSAN HERBERT (1945–2014)
studierte Kunst an der Ruskin School of Drawing
and Fine Art, University of Oxford. Sie war für die
English National Opera und das Theatre Royal in London
tätig, bevor sie sich auf Limited-Edition-Drucke
von Tieren in Theaterszenen spezialisierte. Sie ist regelmäßig
in Ausstellungen vertreten.
SUSAN HERBERT starb im September 2014
während der Arbeit an diesem Buch.

Auf witzige und geistreiche Weise läßt
SUSAN HERBERT in ihren Aquarellen ausdrucksstarke
Katzenpersönlichkeiten in die Rollen von Darstellern
berühmter Bilder und Szenen aus Kunst und Film schlüpfen.

In dieser neuen Zusammenstellung ihrer Bilder ist unsere
erste Station die Malerei, wo uns aus bekannten
Meisterwerken behaarte Gesichter entgegenblicken und
hier und da eine Schwanzspitze unter dem Gewand
hervorlugt. Anschließend besuchen wir Hollywood,
wo wir Katzen in allen Filmgenres antreffen. Vom
Monumentalfilm bis zum Kultklassiker – sie beschwören
den Glanz des goldenen Kinozeitalters herauf.

Susan Herberts Katzenphantasien haben bereits
eine begeisterte Fangemeinde gefunden. Mit dieser Sammlung
ihrer besten Werke wird sich ihre Anhängerschaft
weiter vergrößern.

KATZEN IN DER KUNST

SARKOPHAG DES TUTANCHAMUN

(UM 1340 V. CHR.)

Oben RÖMISCHE WANDMALEREI, *Die Bestrafung Amors* (1. JH. N. CHR.)
Rechte Seite EXEKIAS, *Achilles tötet Penthesilea* (UM 540–530 V. CHR.)

MOSAIK IN DER KIRCHE SAN VITALE, RAVENNA

Kaiserin Theodora (6. JH.)

BREVIER VON ISABELLA DER KATHOLISCHEN

Evangelist Johannes (UM 1497)

Folgende Seiten:

STUNDENBUCH VON PETER II., *Peter II. im Gebet* (1455–57)
THE HASTINGS HOURS, *Katherina von Alexandria* (1475–83)
STUNDENBUCH DES CHARLES D'ANGOULÊME, *Verkündigung an die Hirten* (UM 1485)
OVID, HEROIDES, *Penelope* (1496)

Memona de sco Johanes
Moe
hono
ran
dus
è be
atu
Joha
nes
ennangelita qiulupre
pectus domini in cenareen
brut: Diemus Oratio
celesiam ruam
domine · being
mus illustra ut
beathohannis apoltoli
tu rewan gelita illum
nata doctrinus ad donap
uemar fempitezna Pezo
memoua deiratiate ki

Concede michi misericors
Deus que tibi placita sut
ardenter concupiscere pru

LORT
INEXCEIN
DEO : ET IN
TERRA : PAS homini BVS
BONE : VOLVN
LAVDAMV
LORIA
INESES
DEO : ET : INE
TERRA : PAS : HOMIN BVS
BONE : VOLVNTA
LAVDAMV

Cy commence la cinquesme epistre
de zenone A paris

JAN VAN EYCK

Mann mit rotem Turban (1433)

Oben JAN VAN EYCK, *Margarethe van Eyck* (1439)
Rechte Seite JAN VAN EYCK, *Die Arnolfini-Hochzeit* (1434)

SANDRO BOTTICELLI

Die Geburt der Venus (1486)

RAFFAEL

Hl. Sebastian (1501–02)

Oben TIZIAN, *Porträt eines jungen Mannes* (um 1510)
Rechte Seite LEONARDO DA VINCI, *Dame mit dem Hermelin* (1489–90)

LEONARDO DA VINCI

Mona Lisa (1503–06)

Umseitig
MICHELANGELO, *Die Erschaffung Adams* (1511–12)

MICHELANGELO

Details der Decke der Sixtinischen Kapelle

Oben links LIBYSCHE SIBYLLE (1508–12)
Oben rechts PERSISCHE SIBYLLE (1508–12)

Oben links ERYTHRÄISCHE SIBYLLE (1508–12)
Oben rechts CUMÄISCHE SIBYLLE (1508–12)

Oben RAFFAEL, *Madonna im Grünen* (1506)
Rechte Seite RAFFAEL, *Papst Leo X. mit zwei Kardinälen* (UM 1517)
Umseitig PAOLO VERONESE, *Die Familie des Darius vor Alexander* (1565–70)

HANS HOLBEIN DER JÜNGERE

Porträt Heinrichs VIII. (1540)

PIETER BRUEGEL DER ÄLTERE

Bauernhochzeit (1566–69)

Susan Herbert

Oben PAOLO VERONESE, *Allegorie der Liebe – Glückliche Vereinigung* (1575)
Linke Seite CARAVAGGIO, *Bacchus* (1596–1597)

CARAVAGGIO

Das Abendmahl in Emmaus (1601)

Oben SIR ANTHONY VAN DYCK, *Karl I. in drei Ansichten* (1635 ODER 1636)
Rechte Seite FRANS HALS, *Der lachende Kavalier* (1624)

Oben REMBRANDT, *Porträt der Vorsteher der Tuchmacherzunft* (1662)
Linke Seite DIEGO VELÁZQUEZ, *Las Meninas* (1656)

DIEGO VELÁZQUEZ

Prinz Philipp Prosper von Spanien (1659)

JAN VERMEER

Das Mädchen mit dem Perlenohrring (UM 1665)

Oben JAN VERMEER, *Junge Frau am Virginal* (1670–72)
Rechte Seite JAN VERMEER, *Die Malkunst* (1665–68)

REMBRANDT

Selbstbildnis mit zwei Kreisen (1665–68)

REMBRANDT

Mann mit Rüstung (UM 1655)

Oben links FRANÇOIS BOUCHER, *Porträt der Madame de Pompadour* (1759)
Oben rechts SIR JOSHUA REYNOLDS, *Lady Elizabeth Delmé und ihre Kinder* (1779)

Oben links THOMAS GAINSBOROUGH, *Knabe in Blau* (UM 1770)
Oben rechts THOMAS GAINSBOROUGH, *Die ehrenwerte Mrs Graham* (1775–77)

JEAN-HONORÉ FRAGONARD

Die Schaukel (UM 1767)

JOHANN ZOFFANY

Die Tribuna der Uffizien (1772–77)

À MARAT
DAVID

Oben FRANCISCO GOYA, *Die bekleidete Maja* (1800–05)
Linke Seite JACQUES-LOUIS DAVID, *Der Tod des Marat* (1793)

WILLIAM BLAKE

Der Schöpfergott (1794)

Oben FRANZ XAVER WINTERHALTER, *Albert Edward, Prinz von Wales* (1846)
Linke Seite JACQUES-LOUIS DAVID, *Pierre Seriziat* (1795)

Oben GAVIN HAMILTON, *Achilles beklagt den Tod des Patroclus* (1760–63)
Rechte Seite JEAN-AUGUSTE-DOMINIQUE INGRES, *Badende* (1808)

SIR JOHN EVERETT MILLAIS

Ophelia (1851–52)

DANTE GABRIEL ROSSETTI

Regina Cordium (1866)

RE NACORDIVM

GUSTAVE COURBET

Begegnung oder Bonjour, Monsieur Courbet (1854)

Susan Herbert

ÉDOUARD MANET

Olympia (1863)

Oben JAMES TISSOT, *Junge Frau in einem Boot* (1870)
Linke Seite ÉDOUARD MANET, *Argenteuil* (1874)

JAMES TISSOT, *Frederick Gustavus Burnaby* (1870)

JAMES ABBOTT MCNEILL WHISTLER, *Arrangement in Grau und Schwarz: Porträt der Mutter des Künstlers* (1871)

Susan Herbert.

EDGAR DEGAS

Der Absinth (1876)

EDGAR DEGAS

Die Orchestermusiker (UM 1870)

Oben JAMES TISSOT, *Der Fächer* (UM 1875)
Linke Seite EDGAR DEGAS, *Der Tanzunterricht* (1871–74)

Oben CLAUDE MONET, *Mohnfeld bei Argenteuil* (1873)
Rechte Seite CLAUDE MONET, *Frau mit Sonnenschirm – Madame Monet und ihr Sohn* (1875)

CLAUDE MONET

Die Lesende (1872)

Oben PIERRE-AUGUSTE RENOIR, *Liebespaar* (UM 1875)
Rechte Seite PIERRE-AUGUSTE RENOIR, *Die Regenschirme* (UM 1881–85)

PIERRE-AUGUSTE RENOIR

Das Frühstück der Ruderer (1872)

JOHN RODDAM SPENCER STANHOPE

Die Liebe und das Mädchen (1877)

Oben JAMES TISSOT, *Oktober* (um 1878)
Linke Seite CAMILLE PISSARRO, *Junges Hirtenmädchen mit einem Stock* (1881)

ÉDOUARD MANET

Bar in den Folies-Bergère (1882)

JAMES TISSOT

Der Zirkus-Liebhaber (1885)

GEORGES SEURAT

Badeplatz in Asnières (1884)

Susan Herbert

Oben VINCENT VAN GOGH, *An der Schwelle der Ewigkeit* (1890)
Linke Seite VINCENT VAN GOGH, *Selbstbildnis* (1887)

VINCENT VAN GOGH

Selbstporträt mit verbundenem Ohr und Pfeife (1889)

Susan Herbert

PAUL GAUGUIN

Frauen am Strand (1891)

Oben PAUL CÉZANNE, *Die Kartenspieler* (1890–95)
Rechte Seite PAUL CÉZANNE, *Frau mit Kaffeekanne* (1890–95)

Oben HENRI DE TOULOUSE-LAUTREC, *Der Salon in der Rue des Moulins* (1894)
Linke Seite HENRI DE TOULOUSE-LAUTREC, *Die Bar* (1898)

Oben WILLIAM SHAKESPEARE BURTON, *Der verwundete Kavalier* (1855)
Rechte Seite KATE ELIZABETH BUNCE, *Melody (Musica)* (UM 1895–97)
Umseitig JOHN WILLIAM WATERHOUSE, *Hylas und die Nymphen* (1896)

KATZEN IM FILM

Marlene Dietrich in

DER BLAUE ENGEL (1930)

Jean Harlow in

DINNER UM ACHT (1933)

Susan Herbert

LAUREL AND HARDY
DICK UND DOOF

OBEN *Die Marx Brothers in* SKANDAL IN DER OPER (1935)
RECHTE SEITE *Charlie Chaplin und Jackie Coogan in* THE KID (1921)

Susan Herbert

Susan Herbert

Charlie Chaplin in

THE TRAMP (1915)

Susan Herbert

Fred Astaire und Ginger Rogers in

ICH TANZ MICH IN DEIN HERZ HINEIN (1935)

Gene Kelly in

SINGIN' IN THE RAIN
DU SOLLST MEIN GLÜCKSSTERN SEIN (1952)

Deborah Kerr und Yul Brynner in

DER KÖNIG UND ICH (1956)

DER ZAUBERER VON OZ (1939)

Julie Andrews in

THE SOUND OF MUSIC / MEINE LIEDER – MEINE TRÄUME (1965)

Jane Russell und Marilyn Monroe in

BLONDINEN BEVORZUGT (1953)

WEST SIDE STORY

(1961)

Susan Herbert

Oben und rechte Seite

Audrey Hepburn in

MY FAIR LADY (1950)

UMSEITIG, LINKE SEITE *Charlton Heston in* DIE ZEHN GEBOTE (1956)
UMSEITIG, RECHTE SEITE *Elizabeth Taylor in* CLEOPATRA (1963)

Charlton Heston in
BEN HUR (1959)

Susan Herbert

Peter O'Toole in

LAWRENCE VON ARABIEN

(1962)

Russell Crowe in

GLADIATOR (2000)

Oben DER PATE (1972)
Rechte Seite DOKTOR SCHIWAGO (1965)

Oben und rechte Seite

VOM WINDE VERWEHT (1939)

Oben GEFÄHRLICHE LIEBSCHAFTEN (1988)
Linke Seite DIE ROTEN SCHUHE (1948)

James Dean in

… DENN SIE WISSEN NICHT, WAS SIE TUN (1955)

BEGEGNUNG (1945)

VERDAMMT IN ALLE EWIGKEIT (1953)

CASABLANCA (1942)

Katharine Hepburn und Humphrey Bogart in

AFRICAN QUEEN (1951)

Clint Eastwood in
FÜR EINE HANDVOLL DOLLAR (1964)

Sean Connery in
GOLDFINGER (1964)

Humphrey Bogart in

DIE SPUR DES FALKEN (1941)

Cary Grant in

DER UNSICHTBARE DRITTE

(1959)

Susan Herbert

Dustin Hoffman in

DIE REIFEPRÜFUNG

(1967)

Lew Ayres in

IM WESTEN NICHTS NEUES

(1930)

Oben DER HUND VON BASKERVILLE (1939)
Linke Seite NAPOLEON (1927)

Max Schreck in

NOSFERATU – EINE SYMPHONIE DES GRAUENS

(1922)

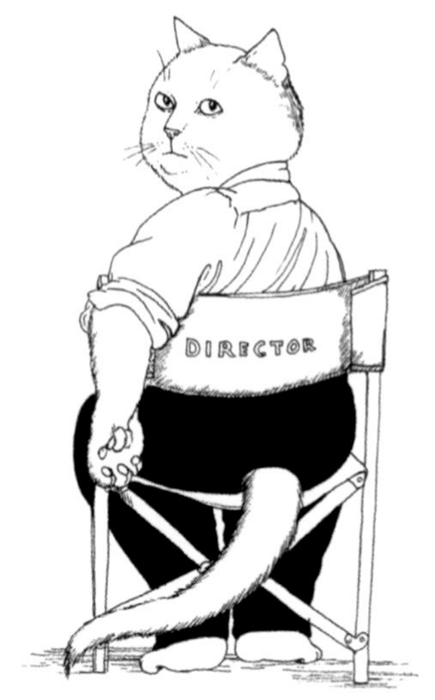

SEITE 2 HENRI ROUSSEAU, *Selbstporträt* (1890)

SEITE 4 HAMLET, 1. Akt, 2. Szene

5. UNVERÄNDERTE AUFLAGE 2024

EDITION OLMS AG
ROSENGARTENSTR. 13B
CH-8608 BUBIKON/ZÜRICH
SWITZERLAND

MAIL: INFO@EDITION-OLMS.COM
WEB: WWW.EDITION-OLMS.COM

ISBN 978-3-283-01242-7

ÜBERSETZUNG/LEKTORAT: BEATE BÜCHELERES-RIEPPEL
SATZ: WEISS-FREIBURG GMBH – GRAPHIK & BUCHGESTALTUNG

BIBLIOGRAFISCHE INFORMATION DER DEUTSCHEN BIBLIOTHEK
DIE DEUTSCHE BIBLIOTHEK VERZEICHNET DIESE PUBLIKATION
IN DER DEUTSCHEN NATIONALBIBLIOGRAFIE;
DETAILLIERTE BIBLIOGRAFISCHE DATEN SIND IM INTERNET ÜBER
HTTP://DNB.DDB.DE ABRUFBAR

PRINTED AND BOUND IN CHINA